A giant creature was loose in the secret hideout of the Kraang, blobby brainlike invaders from another dimension. They lived in robot exoskeletons and spoke strangely. A team of Kraang-droids chased after the creature, firing their laser blasters.

Dans l'abri secret des Krangs, des envahisseurs d'une autre dimension à l'allure de cerveaux globuleux, se trouvait une créature géante en liberté. Les Krangs vivaient dans des exosquelettes robotisés et parlaient d'une drôle de façon. Une équipe d'androïdes Krangs se lança à la poursuite de la créature, lui tirant dessus au canon laser.

Blam! Blam! Blam!

A blast hit the creature and it fell to the floor. The Kraang-droids gathered around it. The monster looked like a giant alligator. It clutched a glowing object in one claw.

GIVE TO KRAANG THE POWER CELL!

DONNE À KRANG LA PILE À COMBUSTIBLE !

Blam !
Blam !
Blam !

Un laser frappa la créature, qui tomba au sol. Les Krangs se rassemblèrent autour d'elle. Le monstre ressemblait à un alligator géant. Il tenait un objet brillant entre ses griffes.

The creature jumped to its feet. With a mighty arm, it swatted the Kraang-droids aside. They tumbled to the ground, sparking and smoking. The brain-like Kraang jumped out of their broken robot bodies and slithered away.

La créature bondit sur ses pieds. De son bras puissant, elle poussa les Krangs hors de son chemin. Ils s'effondrèrent sur le sol, dans un nuage d'étincelles et de fumée. Les Krangs sautèrent de leurs exosquelettes détruits et s'enfuirent en rampant.

The creature punched a hole in a wall and escaped.

La créature donna un coup de poing dans le mur et s'échappa.

Six months later, Leonardo, Raphael, and Donatello were watching the news in their secret underground lair. Michelangelo bounded into the room. "Who wants to try my latest creation from the kitchen?" he asked. "We all love pizza. We all love milk shakes. So I combined them! I call it a P-shake!" The other turtles groaned.

Six mois plus tard, Leonardo, Raphael et Donatello regardaient les nouvelles dans leur repaire souterrain. Michelangelo fit irruption dans la pièce. « Qui veut essayer ma dernière création culinaire ? demanda-t-il. Nous aimons tous la pizza. Nous aimons tous le lait frappé. Alors j'ai combiné les deux ! J'appelle ça du P-frappé ! » Les autres tortues grognèrent.

Michelangelo took a big gulp and immediately spat it out.

Where did I go wrong?

Où me suis-je trompé ?

Michelangelo prit une grande gorgée et la recracha immédiatement.

The reporter said the sewers would be searched. That was bad news for the Turtles and their secret lair. "The last thing we want is some creature causing trouble in the sewers, or news crews down here looking for it," said Leonardo. "We've got to track this thing down and stop it ourselves." "There's a tunnel number in the news report," said Donatello. "It's tunnel 181." "Let's go!" said Leonardo.

La journaliste annonça que les égouts seraient fouillés. Mauvaises nouvelles pour les tortues et leur base secrète !
« La dernière chose que nous voulons, c'est une créature qui cause des problèmes dans les égouts ou une équipe de journalistes à sa recherche, dit Leonardo. Nous devons la retrouver et l'arrêter nous-mêmes. »
« Il y a un numéro de tunnel dans le reportage, dit Donatello. C'est le 181. »
« Allons-y ! » ajouta Leonardo.

The Turtles quickly found the tunnel.
The only sign of the strange creature
was a few large footprints.

Suddenly, the Turtles heard
brutal battle sounds echoing
through the sewers. They
charged down the tunnel
to investigate.

Les tortues trouvèrent le tunnel rapidement.
La seule trace de l'étrange créature était
de grosses empreintes.

Soudain, les tortues entendirent les
bruits d'un combat brutal qui résonnaient
dans les égouts. Elles se ruèrent dans le
tunnel pour enquêter.

The Turtles turned a corner and saw a giant mutant alligator battling a group of Kraang-droids. The alligator grabbed two Kraang-droids and smashed them together. With a powerful swipe of its tail, it sent another Kraang-droid flying into a wall. A pink Kraang brain-thing scurried out of the broken robot.

"Awesome!" Raphael said.

"Wow, I never thought I'd feel sorry for the Kraang," whispered Donatello.

Après un virage, les tortues découvrirent un gigantesque alligator-mutant qui combattait un groupe de Krangs. L'alligator en attrapa deux et les fracassa l'un contre l'autre. Il en fit voler un autre contre le mur en lui donnant un grand coup de queue. Un Krang rose, semblable à un cerveau, sortit de son robot brisé.

« Super ! » dit Raphael.

« Wouah… Je n'aurais jamais pensé ressentir de la pitié pour les Krangs », chuchota Donatello.

One Kraang-droid fired a massive blaster cannon at the raging creature. The blast hit the creature in the chest and threw it to the ground.

Un Krang tira avec son canon laser sur la créature enragée. Le tir toucha celle-ci à la poitrine et la fit tomber par terre.

The Kraang-droids surrounded the injured mutant.
"Tell Kraang in what place can be found the power cell!"
demanded a Kraang-droid.
"Never!" screamed the creature.
"Then Kraang will continue to inflict pain," said another Kraang-droid.
"We've got to help him," Michelangelo whispered.
He was about to jump into action, but Leonardo grabbed him.

Les Krangs encerclèrent le mutant blessé.
« Dis à Krang où se trouve la pile à combustible ! » ordonna un krang.
« Jamais ! » cria la créature.
« Alors Krang continue à faire mal », répliqua un autre Krang.
« Nous devons l'aider », chuchota Michelangelo. Il s'apprêtait à partir à la rescousse de la bête quand Leonardo l'attrapa.

But Michelangelo couldn't stand by while the creature was being hurt. He sprang into battle. He knocked one Kraang-droid out with a blow from his nunchucks. A flying kick toppled another.

Mikey, we don't know anything about that guy. He could be more dangerous than the Kraang.

Crack!

Mikey, nous ne le connaissons pas. Il pourrait être plus dangereux que les Krangs.

Mais Michelangelo ne pouvait pas rester sans rien faire alors que la créature se faisait battre. Il se rua au combat et assomma un Krâng d'un coup de nunchaku. Il en renversa un autre d'un coup de pied.

Leonardo, Raphael, and Donatello couldn't let their brother fight alone. "Let's go whack some piñatas," Raphael grunted as the rest of the Turtles charged into the fight.
Donatello swung his bo staff. Leonardo's swords flashed like lightning. The Kraang-droids were quickly overwhelmed and ran away.

Leonardo, Raphael et Donatello ne pouvaient pas laisser leur frère combattre tout seul.
« Allons frapper des piñatas », grogna Raphael en se lançant dans la bataille avec le reste des tortues. Donatello fit tournoyer son bâton. Les épées de Leonardo étincelaient comme des éclairs. Les Krangs furent vite débordés et s'échappèrent.

Back at the lair, Donatello wanted to chain the creature, but Michelangelo said that would be wrong. The Turtles began to argue. "What's all the commotion?" asked Splinter as he entered the room. "Mikey brought home a dangerous monster just because it was hurt!" said Raphael.
"There is no monster more dangerous than a lack of compassion," responded Splinter.

Au repaire, Donatello voulut enchaîner la créature, mais Michelangelo dit que ce serait mal. Les tortues commencèrent à se disputer.
« Que se passe-t-il ici ? » demanda Splinter en entrant dans la pièce.
« Mikey a ramené un monstre dangereux parce qu'il est blessé », dit Raphael.
« Il n'y a pas de monstre plus dangereux que le manque de compassion », répondit Splinter.

The Turtles told Splinter about the creature's fight and the power cell the Kraang wanted.
"You made a wise decision, Michelangelo," said Splinter. The Turtles were shocked to hear this. "I can't believe I just said that, either," he continued. He told Michelangelo to chain the creature for the time being. "We need to learn what he knows about the Kraang."

Les tortues racontèrent à Splinter le combat et la recherche de la pile à combustible des Krangs.
« Tu as agi sagement, Michelangelo », dit Splinter. À ces mots, les tortues furent sous le choc. « Moi non plus, je ne peux pas croire ce que je viens de dire », continua-t-il. Et il demanda à Michelangelo d'enchaîner la créature pour le moment. « Nous devons apprendre ce qu'il sait des Krangs. »

Splinter sent Leonardo, Donatello, and Raphael to look for the missing power cell. They returned to tunnel 181. All they found was garbage. "If I were an alligator," Donatello said, "I'd hide something underwater." The three Turtles dove into the grimy sewer water.

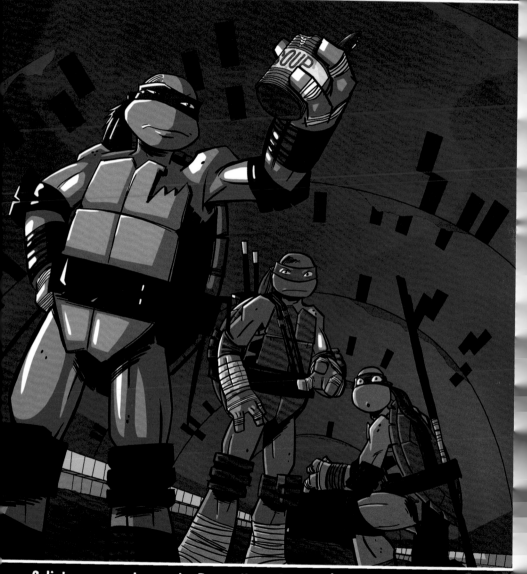

Splinter envoya Leonardo, Donatello et Raphael à la recherche de la pile à combustible. Ils retournèrent au tunnel 181, mais ne trouvèrent que des ordures.
« Si j'étais un alligator, dit Donatello, je cacherais quelque chose sous l'eau. » Les trois tortues plongèrent dans l'eau crasseuse des égouts.

Meanwhile, back in the lair, the giant alligator woke up. He strained against his chains. "Set me free!" he roared. Michelangelo calmly introduced himself. "My brothers and I saved you from the Kraang. We brought you home with us so you could get better."

Michelangelo fed the creature his homemade pizza-noodle soup. "This is the best thing I have ever tasted! said the creature. "All right!" said Michelangelo. "Somebody finally likes my cooking!" The creature and Michelangelo became friends. Michelangelo undid the chains and ga the creature a name: Leatherhead.

Pendant ce temps, à la base, l'alligator géant s'était réveillé et tirait sur ses chaînes. « Relâche-moi ! » grogna-t-il. Michelangelo se présenta calmement. « Mes frères et moi t'avons sauvé des Krangs. Nous t'avons ramené à la maison pour que tu te rétablisses. »

Michelangelo donna à la créature un peu de sa soupe pizza-nouilles maison. « C'est la meilleure chose que j'aie jamais goûtée ! » dit la créature « Super ! dit Michelangelo. Enfin quelqu'un qui aime ma cuisine ! » La créature et Michelangelo devinrent amis. Michelangelo enleva les chaînes et donna un nom à la créature : Leatherhead.

Deep in the sewers, Leonardo, Raphael, and Donatello came out of the water and entered a room filled with dangerous booby traps. They had to act quickly to avoid getting hurt. They ducked under flying street signs and jumped over rolling manhole covers.

Leonardo, Raphael et Donatello sortirent de l'eau par le fond des égouts et entrèrent dans une pièce remplie de pièges dangereux. Ils durent agir rapidement pour ne pas se blesser. Ils esquivèrent des panneaux routiers volants et des bouches d'égout roulantes.

The Turtles made it safely into the next room and found the power cell behind a secret door.
"Any idea what the Kraang would use this for?" asked Leonardo.
Donatello inspected it. "It could power anything—a flashlight, a blaster cannon, even a city on the moon!"

Les tortues parvinrent saines et sauves à la pièce suivante, où elles trouvèrent la pile à combustible derrière une porte secrète.
« As-tu une idée de l'usage qu'en feraient les Krangs ? » demanda Leonardo.
Donatello l'examina. « Ça pourrait alimenter n'importe quoi : une lampe de poche, un canon laser, même une ville sur la lune ! »

Leonardo, Raphael, and Donatello brought the power cell back to the lair. They couldn't believe Michelangelo had unchained the giant alligator. "What if he goes berserk?" Leonardo asked. "Don't worry," Michelangelo replied. "Leatherhead is totally mellow."

Leonardo, Raphael et Donatello ramenèrent la pile à combustible au repaire, où ils furent stupéfaits de voir que Michelangelo avait retiré les chaînes de l'alligator géant.
« Et s'il devenait fou ? » demanda Leonardo.
« Ne t'inquiète pas, dit Michelangelo. Leatherhead est doux comme un agneau. »

But when Leonardo mentioned the Kraang, Leatherhead exploded with rage. "KRAANG!" he roared.
When Leatherhead saw the power cell, he grew even angrier. "Thief!" he growled. He started to fight the Turtles for the power cell.

Quand Leonardo mentionna les Krangs, Leatherhead explosa de rage. « KRANG ! » rugit-il.
Puis quand il vit la pile à combustible, il se fâcha davantage. « Voleur ! » gronda-t-il. Il commença alors à attaquer les tortues pour récupérer la pile.

Leatherhead lunged for Splinter, but Splinter was too fast for him. The giant mutant stopped fighting, snatched the power cell, and ran away.

Stop! Get away from my sons!

Arrête ! Ne t'approche pas de mes fils !

Leatherhead se jeta sur Splinter, mais celui-ci était trop rapide pour lui. Le mutant géant arrêta de se battre, arracha la pile à combustible et s'enfuit.

Michelangelo chased Leatherhead until they reached an old subway car in an abandoned station. It was Leatherhead's home. "Dude!" Michelangelo said sternly. "Friends don't beat up friends!" "I'm sorry," said Leatherhead. "There are forces in me I can't always control."

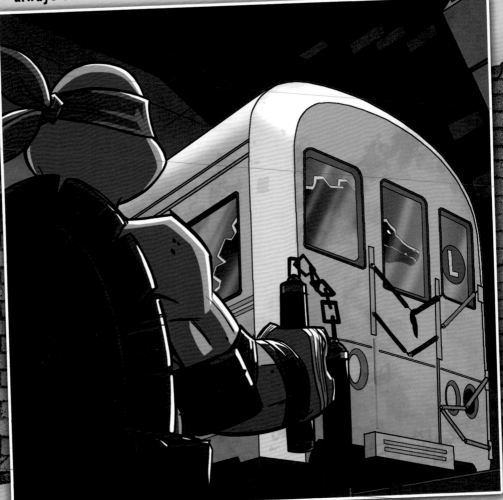

Michelangelo poursuivit Leatherhead jusqu'à ce qu'il atteigne un wagon dans une station abandonnée. C'était la maison de Leatherhead. « Mec ! dit Michelangelo d'un ton sévère. Les amis ne se frappent pas entre eux ! » « Je m'excuse, dit Leatherhead. Il y a des forces en moi que je ne peux pas toujours contrôler... »

Leonardo, Raphael, and Donatello found Michelangelo just as Leatherhead was starting his story. "The Kraang found me as a young gator," he said. "They took me to their dimension, mutated me, and tried to turn me into a living weapon."

Leonardo, Raphael et Donatello retrouvèrent Michelangelo alors que Leatherhead commençait à raconter son histoire. « Les Krangs m'ont trouvé quand je n'étais qu'un jeune alligator, dit-il. Ils m'ont emmené dans leur dimension, transformé en mutant et essayé de faire de moi une arme vivante. »

Leatherhead explained that he had stolen the cell that powered the Kraang's portal to Earth and escaped. He wanted to stop other Kraang from entering this dimension. Suddenly, a blast rocked the train car. It was the Kraang-droids!

Leatherhead expliqua qu'il avait volé la pile qui alimentait le portail des Krangs pour se rendre sur Terre et qu'il s'était échappé. Il voulait empêcher les autres Krangs d'entrer dans cette dimension. Soudain, une explosion secoua le train. C'étaient les Krangs !

"Give to Kraang the power cell!" a robot voice ordered. "Donnie, can you get this subway car running?" asked Leonardo. Donatello said he couldn't because there was no electricity.

Leatherhead handed the power cell to Donatello. "You have trusted me," said Leatherhead. "Now I am trusting you." With that, he hopped out the train door to fight the Kraang.

Donne à Krang la pile à combustible ! » ordonna une oix robotique.
Donnie, tu peux faire avancer e wagon ? » demanda eonardo. Donatello répondit ue non, car il n'y avait pas 'électricité.

Leatherhead donna la pile à combustible à Donatello. « Tu m'as fait confiance, lui dit-il. Maintenant, c'est à mon tour. » Sur ces mots, il sortit du train pour aller combattre les Krangs.

Michelangelo, Leonardo, and Raphael fought off the Kraang that smashed through the windows. Donatello tried to connect the power cell to the train's engine. "I think I got it!" he exclaimed. The last wire sparked as it touched the cell.

Michelangelo, Leonardo et Raphael se débarrassèrent des Krangs qui franchissaient les fenêtres. Donatello essayait de connecter la pile à combustible au moteur du train. « Je crois que j'y suis ! » dit-il. Le dernier fil fit des étincelles en touchant la pile.

The train blasted away from the Kraang and Leatherhead. It shot through the tunnel, going faster and faster. It banged and clanged along the twisting rails. Sparks flew from the wheels as Donatello tried to apply the brakes.

Le train roula loin des Krangs et de Leatherhead. Il fonçait dans le tunnel de plus en plus vite. Il cognait et claquait contre les rails tordus. Des étincelles jaillirent des roues quand Donatello appuya sur les freins.

The car finally screeched to a stop. The Turtles were safe for now, but they were worried. They hoped Leatherhead was okay. They knew the Kraang would come looking for their power cell. The battle with the Kraang would continue another day.

Le wagon finit par s'arrêter. Les tortues étaient en sécurité, mais elles s'inquiétaient, espérant que Leatherhead allait bien. Elles savaient que les Krangs reviendraient chercher la pile à combustible. Le combat avec les Krangs continuerait un autre jour.